mon premier livre de lecture Montessori

Je lis mes premiers mots et je progresse dans la lecture

Conçu par Marie Kirchner
Illustré par Emmanuelle Tchoukriel

Nathan

PETITE NOTE
À L'ATTENTION DES PARENTS

Dans les classes maternelles Montessori, les enfants en pleine période sensible au langage oral et écrit, sont attirés par les «lettres rugueuses». Ils apprennent progressivement le son de chaque lettre et son tracé, en le suivant du doigt.

Un peu plus tard, ils commencent à composer des mots courts grâce aux lettres de l'alphabet mobile: «as», «bol», «vélo»…

Et puis, un beau jour, de façon assez extraordinaire, l'enfant va lire les mots qu'il a composés.

On a coutume d'appeler ce moment «l'explosion de la lecture». Car l'enfant est si heureux de sa découverte qu'il cherche à lire sans relâche !

Encore faut-il trouver pour lui des textes adaptés. C'est ce que propose ce Premier livre de lecture, conçu pour passer progressivement à la lecture courante. Dans notre école Montessori Le Petit d'Homme, il est remis à chaque enfant qui commence à lire afin de partager ses progrès avec sa famille et de s'entraîner à la maison.

En effet, notre langue française n'étant pas phonétique (contrairement à l'italien), de nombreux mots contiennent des «sons complexes», ou «graphèmes», produits par deux ou trois lettres, comme «ou», «ch», «en», «gn»… L'apprenti lecteur va devoir les mémoriser petit à petit, avant de pouvoir lire n'importe quel livre.

Comment utiliser ce livre ?

Il est essentiel que votre enfant ait pu se préparer en composant des mots à l'aide d'un alphabet mobile, puis en lisant ses premiers mots. Cette étape correspond au matériel proposé dans *Mon coffret de lecture Montessori*.

Les premières pages présentent les lettres déjà connues puis des mots courts, phonétiques, où chaque lettre correspond à un son.

Proposez à votre enfant de lire d'abord à haute voix. Il va dans un premier temps « déchiffrer » et aura peut-être besoin que vous répétiez ce qu'il vient de lire afin de lui faire prendre conscience du mot.

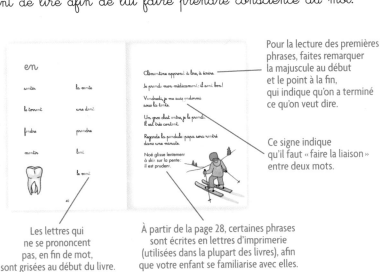

Pour la lecture des premières phrases, faites remarquer la majuscule au début et le point à la fin, qui indique qu'on a terminé ce qu'on veut dire.

Ce signe indique qu'il faut « faire la liaison » entre deux mots.

Les lettres qui ne se prononcent pas, en fin de mot, sont grisées au début du livre.

À partir de la page 28, certaines phrases sont écrites en lettres d'imprimerie (utilisées dans la plupart des livres), afin que votre enfant se familiarise avec elles.

Selon le principe « une difficulté à la fois », de petites nouveautés sont introduites progressivement.

L'article « un » et le verbe « est » apparaissent assez rapidement, car ils sont tout deux très utilisés. Il suffit de dire à l'enfant que parfois deux ou trois lettres ensemble font un seul et même son. Par exemple, u et n ensemble font « un » ; e, s et t ensemble font « est ».

Puis, à partir de la page 28, les sons complexes ou graphèmes sont présentés, dans un ordre de difficulté progressive.

Cette « méthode » de lecture n'est ni syllabique (pas de répétition genre « ba, be, bi, bo, bu ») ni globale. Elle permet à l'enfant de lire des mots puis des phrases qui ont du sens et sont adaptées à ses capacités. Il pourra aussi y découvrir des mots nouveaux, qui viendront enrichir son vocabulaire.

Pour apprendre les nouveaux sons

Pour présenter les graphèmes, nous nous servons dans les classes Montessori de petites cartes rangées dans la boîte des sons

Vous pouvez en complément de ce livre, fabriquer vous-même ce matériel simple, en écrivant chaque graphème en écriture cursive sur des cartes en bristol. Vous pouvez aussi utiliser Ma pochette Montessori des graphèmes rugueux.

Nous procédons à une leçon en trois temps en présentant à chaque fois 2 sons différents (par exemple, ch et ou):

• 1ᵉʳ temps: présentation

Nous montrons lentement la première carte en disant « ch » ; puis la deuxième en disant « ou ».

• 2ᵉ temps: mémorisation

Nous donnons à l'enfant de petits ordres qui l'amusent: « Prends ch et va le mettre sur un tabouret », « Prends ou et pose-le sur ma cuisse », « Prends ch et retourne-le »... ou tout ordre qui permet à l'enfant d'entendre plusieurs fois prononcer chaque son.

• 3ᵉ temps: restitution

Nous cachons les deux cartes derrière notre dos. Nous en faisons apparaître une et disons : « Qu'est-ce que c'est ? »... et ainsi de suite, en mélangeant les cartes de temps en temps pour que ce soit plus drôle.

À chaque fois que l'enfant a appris deux nouveaux sons, nous lui proposons de composer des mots contenant ces sons avec l'alphabet mobile.

a   i   o   u   e

s   m   r   c   l

as   os

ami   iris

le sac   le car   le lis

le mur   le col   le lac

do   mi   sol

v   b   p   n   t

le bac	la robe	la cave
la vis	le tube	une cane
le bol	une pipe	le cube
le pic	une sole	la cape
le vol	la lune	une moto
		papa
		le loto
		le bal

d   f   g   j

une jupe   midi

la gare   fini

le fil   le nid

le foc   le canif

Il tire le fil.

Gustave file vite
sur sa moto.

La lune a paru.

é

le bébé   le vélo   Noé

du café   le canapé   Émile

le pavé   le vélo
de Sam

le dé

Zoé lit vite.

Marina va à l'école.

L'été arrive.

k q w x y z

le zèbre

le koala

le wapiti

le zoo

le zigzag

Xavier

William

Kitty

Le képi de Karim

Le pyjama de Sam

Le ski glisse.

Il y a 1 kilo de kiwis sur la table.

Alix va dormir.

Kim porte une jupe.

Le coq va vite, Lydie le suit. Cocorico !

Yves lit le livre. Yanis le regarde.

Maxime habite à Ottawa,
une ville du Canada.

La pyramide de Khéops

un

un mur

un ami

un fil

un pic

un cube

un bocal

un avocat

un canal

Ava a un vélo.

Noé porte un joli bébé.

h

(la drôle de lettre
que l'on n'entend pas)

le haricot

un habit

un héros

un hippopotame

un haras

Hélias habite juste à côté.

Un hélicoptère vole bas.

Hélas le bébé n'a pas la bonne habitude
de dormir tôt

l' à

l'iris   l'ami

l'épine   l'épi

l'école   l'olive

Noé va à l'école.

Ava a vu Sam. Elle l'imite.

À midi, Papa a bu un café.

est

Noé est malade,
il va dormir.

Ava est calme.

Marine est à la porte de l'école.

Le tigre est rapide.

Marie est endormie sur le canapé.

Nora est sur le tas de sable.

Papa est assis juste à côté de mamie.

Le sol est gris.

La petite table est à côté du mur.

une carafe

une cabane

la salade

la banane

un pétale

Je tire le fil de la bobine.

Papi fume la pipe.

Noé a un piano.

Le café a sali la robe d'Ava.

Sam a démoli la cabane.

Papa pilote le navire.

Ava patine sur le lac.

Papa a fini de lire.

Noé imite la locomotive.

Le bébé tape sur le canapé.

bl

une table   l'étable

du sable   un câble

une fable   un sablé

du blé   le bloc   l'établi

À midi, Noé décore la table.

Ava porte un cartable.

cl

une clôture

Clara

une clé

le socle

un clapotis

le clos

Clovis

pl

fl

un pli

un platane

la flamme

une plume

un plat

le trèfle

le placard

la flûte

du plâtre

flétri

Noé réclame un arc.
Il tire sur le platane du parc.

Le parc floral.

Le navire flotte sur les flots.

cr   gr

du sucre

un cri

un crabe

un acrobate

l'écriture

le crâne

le tigre

grave

la grue

une agrafe

le gril

le grelot

la grappe

Le crocodile s'étire sur le sable.

23

br

la brume

le sabre

un abri

un cabri

une bride

fr

une frite

le frère

le fracas

la frégate

une fracture

Ava brode un coq. Bravo !

tr

la vitre

le tri

un litre

le titre du livre

le métro

le trafic

Noé tricote une écharpe.

Il est triste.

dr

le drap

drôle

un drame

dru

une draperie

pr   vr

le pré   le livre

une prune   avril

une praline   vivre

propre   vrac

le prix

À midi, Noé prépare la salade.

ie   ue

la pie   une partie   la tortue

                                l'avenue

la copie   une ortie   la grue

                                la statue

                                la revue

                                la rue

Ava a vu une tortue.

ch

la poche

un chat

une vache

un cheval

l'écharpe

le parachute

la machine

une cloche

la tache

une brioche

Noé a un cheval.

Le chat lèche sa patte.

La poche d'Ava a une tache
de chocolat.

Ava est cachée sur l'arbre.
Sacha chuchote à Noé : regarde, là !

Ava dit : Sacha, tu triches !

ou

le cou

un sou

la foule

un trou

un clou

la boule

une roue

une poutre

la toupie

le four

la tour

une course

la bourse

une gourde

la fourche

Le bébé se couche sur la couverture.

Papa noue l'écharpe de Noé.

Le loup secoue l'arbre.

La poule picore
sur la route.

Médor la bouscule :
cot ! cot !

Pour le retour de papa, Ava prépare
une tarte. Elle ouvre le pot de farine,
le sucre. Elle roule la pâte,
ouvre le four : la tarte va cuire.

on

du coton

le monde

un conte

la ronde

le poupon

un balcon

la confiture

le bouton

du carton

l'oncle

il jongle.

Simon conduira un camion.

Sam va construire un avion.

Noé console son bébé.

Ava lui prépare un biberon.

Simon m'a montré
sa jolie montre.

Les bonbons sont cachés
dans le carton.

Mon ballon a rebondi sur le balcon
de mon oncle.

an

la manche

un ruban

la bande

un volcan

la planche

avant

la danse

une amande

un gland

l'élan

un gant blanc

Noé a grandi. Il va
à l'école. Il colorie, il chante, il danse.

Maman lui demande une chanson.

Noé chante et danse avec maman.

Dans l'églantine se cache
une petite fourmi.

Dans la rivière file la truite.

Dans le pré s'ouvre la renoncule.

in

du vin

un pin

le ravin

du lin

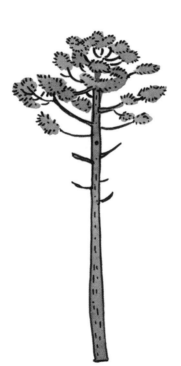

un serin

le matin

le jardin

du chagrin

un pantin

le chemin

un brin
de romarin

Martin court près du moulin.

Dans le jardin, un pinson
chante sur le sapin.

Le lapin a trouvé du romarin.

Noé marche sur le sable fin.

Il sera marin.

La poule pond. Elle couve,
un poussin sortira.

è

le père

la mère

le frère

l'écolière

le lièvre

la vipère

le trèfle

la primevère

une haltère

La maladie d'Hélène

Hélène a de la fièvre.

Maman lui donne de l'aspirine.

La lune a disparu.

Un lièvre se promène à l'abri
de la sapinière.

Flic, floc, plic, ploc, murmure la rivière.

Mon frère se lève vite : il a vu une vipère.

en

sentir

la vente

le torrent

une dent

fendre

prendre

mentir

lent

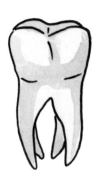

le vent

Clémentine apprend à lire, à écrire.

Je prends mon médicament : il sent bon !

Vendredi, je me suis endormi
sous la tente.

Un gros chat entre, je le prends.
Il est très content.

Regarde la pendule : papa sera rentré
dans une minute.

Noé glisse lentement
à skis sur la pente :
il est prudent.

et

le carnet

le filet

muet

le fouet

le parapet

le sifflet

les tabourets

un secret

des bonnets

es

le pic et le roc

le blé et l'épi

les enfants

le parasol
et le parapluie

Tu es jolie.

Le jet du robinet coule dans mon gobelet.

Ava a un carnet secret.

Tu es un enfant fluet.

Noé est calme et muet.

Le chat est endormi sur le tabouret.

Ava et Zoé sont amies.

Regarde la biche et la chèvre !

Admire la primevère et l'anémone !

au

une faute

une taupe

une gaufre

le vautour

l'épaule

l'aube

l'autobus

l'autruche

Le chaton monte
sur le saule.

Il miaule.

Médor saute.

Minou se sauve.

La plante pousse dans le jardin d'Ava.

Pauline se lève à l'aube.

Laura a mal à l'épaule.
Auguste l'a bousculée sous le préau.

el   es   er   ec

la mer

un merle

le fer

la ferme

un ver

la verdure

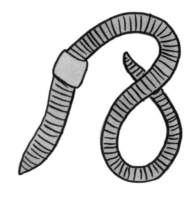

L'arbre a reverdi.

L'hiver est fini.

Ava va partir à la ferme.

du caramel

le miel

un bec

la lecture

le reste

Mercredi, Noé a perdu sa veste.

Elvire traverse la rue avec Noé.

eu >

un pneu   un neveu

un jeu   jeudi

le feu   un cheveu

la meule   amoureux

                           heureux

                           vieux

48

Maman gonfle le pneu du vélo.
En attendant, Noé peut continuer son jeu.

Il pleut. Les enfants ne peuvent pas sortir.
Ils ne sont pas heureux.

Matthieu veut encore un peu de tarte.
Il en a déjà mangé deux parts.
Il n'y en aura plus pour le déjeuner.

eu <

un fleuve

la couleur

un moteur

du beurre

le facteur

le malheur

un aviateur

le bonheur

un docteur

l'ordinateur

L'agriculteur monte sur son tracteur,
tous les jours à la même heure.

As-tu passé l'aspirateur ?

ne... pas

Le bébé ne pleure pas.
Le bébé ne parle pas.
Il ne marche pas seul.

Couché sur son tapis, il cherche
son ours. Il le trouve, le regarde,
le tourne et le retourne.

L'ours ne se fâche pas, il ne parle pas,
il ne crie pas.

L'ours est l'ami de bébé.

er = é

parler

le rocher

tirer

jouer

le papier

dîner

un charcutier

L'écolier a mis son tablier.
Il sort son cahier.

Si tu fais le fou, tu vas tomber sur
le plancher, tu vas t'écorcher le genou.

Allons-nous nous promener ?

Plus tard, mon métier
sera pompier, ou jardinier,
ou infirmier…
Je ne suis pas encore fixé.

oi

un miroir

du bois

le roi

du poivre

la foire

froid

la moitié

le toit

noir

Par la fenêtre
du couloir,
tu peux voir
la première étoile.

Ava règle la voile
de son voilier.

Prends un mouchoir dans la boîte !

Antoine retrouve son jeu : le voilà ! dit-il.

Tous les soirs, Victoire a des devoirs.
Elle va savoir lire et écrire.

Mamie a rangé les poires dans l'armoire.

om am im em

la pompe   l'impasse

sombre   le nombril

le tambour   une bombe

du jambon   un concombre

un timbre

Son nom est Ava : c'est simple !

La lampe ne s'allume plus :
l'ampoule est cassée.

Noé dort dans la chambre de sa maman.

Le bébé rampe. Son papa remplit
sa timbale. Il l'embrasse.

La température tombera à zéro en novembre.

La tempête a emporté mon parapluie.

Ava campe dans le champ
de son oncle, mais le temps est gris.

Noé colle un timbre
sur l'enveloppe.

ce   ci   cé   cy

le pouce

la médecine

l'océan   célèbre

un tricycle   ceci

un cil   cela

Noé se regarde dans la glace.
Il fait des grimaces.

Alice aime les escalopes
avec de la sauce et du citron.

Célestin suce une sucette.
Il va au cinéma à côté de l'épicerie.

C'est facile de lire : papa - pipe.

C'est difficile de lire : Christian.

Lucie récite un poème.

Elle a des pièces dans sa poche.

ge   gi   gé   gy

le singe

la girafe

du givre

un siège

général

une image

le barrage

âgé

rouge

Le rouge-gorge sort de sa cage.

Angèle aime nager et plonger.

Georges aime faire le ménage.
Il lave les étagères avec une éponge.

Nous mangeons du gigot, du fromage
et des oranges.

De gros nuages approchent, un orage
se prépare.

Mars est le mois des giboulées.

eau

un râteau

le couteau

le carreau

le rouleau

le rideau

la peau

un plateau

un morceau

un cadeau

Sur ce tableau, on peut voir un bateau
sur l'eau.

Prends le marteau pour réparer
mon bureau.

Ava a eu un château en cadeau.
Il est très beau.

Un corbeau se pose sur le poteau.
un étourneau s'envole.

Dans ce troupeau,
il y a de nouveaux
veaux.

err

une serre

la perruche

un ver de terre

un perroquet

ett

une trottinette

une marionnette

Noé écrit une lettre, il l'enverra
à son père.

Je joue à la dînette. Je mets l'assiette,
le verre, la fourchette, le couteau
et la serviette.

J'apporte des betteraves, une omelette
à la ciboulette et une tartelette.

Le lierre grimpe le long du mur
de la terrasse. Il est beau !

Lisette écoute la chouette.

J'entends
le tonnerre :
il gronde.

Il y a une erreur.

ess   enn   ell

l'adresse   une selle   la poubelle

les fesses   une pelle

une tigresse   l'étincelle

une benne   l'antenne

La lessive sèche sur le fil.
Le vent la soulève.

Ma chienne est couchée près de moi.
Son regard est empli de tristesse.
Je lui donne une caresse.

Isabelle est une belle demoiselle.
Elle a des tresses.

La maman d'Ava lui a acheté
de nouvelles tennis.

L'éboueur tire sur la manette pour
vider la poubelle dans la benne
du camion.

ai

une douzaine

le balai

une graine

le trait

un militaire

gai

maigre

de la graisse

le palais

le maître

En mai, tout le jardin me plaît:
il est très fleuri.

J'ai acheté de la laine pour me faire
une paire de mitaines.

J'aime les couleurs claires.

Je vais faire les courses. J'achèterai
du lait frais et de la laitue. Je paierai
à la caisse. La caissière me rendra
la monnaie.

ê

la bêche

une mêche

un arrêt

la crêpe

frêle

pêle-mêle

bêler

mêler

un hêtre

Je commande des crêpes à la crêperie
bretonne, salées puis sucrées.

Tu n'es pas bête, tu es étourdi.

Regarde par la fenêtre :
il y a des chênes, des hêtres
et des frênes
dans la forêt.

Le pêcher porte
beaucoup de pêches.
S'il grêle, les grêlons
vont les abimer.

Une bête a bêlé. J'ai levé la tête
mais je n'ai rien vu. J'ai dû rêver.

ei

une veine

la reine

l'haleine

beige

la neige

un peigne

un seigneur

la peine

As-tu vu la baleine?
Les baleiniers n'ont pas pu l'attraper.
Elle pourra élever son baleineau.

Sur l'enseigne, on peut voir
le nombre treize.

La neige tombe sur mon pull beige.

Madeleine a préparé des crêpes
à la farine de seigle.

Noé donne un os de seiche au canari.

La reine a de la peine.

Mon peigne est cassé.

gu

l'algue

le guide

le guidon

une mangue

un guépard

un guichet

de la guimauve

guetter

une guitare

une bague

Ava a coupé
des marguerites
pour son papa.

Le guide emmène les touristes.
La randonnée sera longue.
Fatigués, ils se reposeront.

Les figues sont mûres, Noé s'en régale.

Le bateau téléguidé navigue sur l'eau.
Une vague le fait chavirer.

Pour les fêtes, Ava et Noé font
des guirlandes et préparent le gui.

Une guêpe a piqué Hugues
mais il est guéri.

Ava joue de la guitare.

ph

le phare

un nénuphar

le téléphone

un phoque

l'orphelin

un éléphant

une photo

un xylophone

un pharaon

Au zoo, Stéphane a vu des phoques.

Philippe s'est intéressé aux éléphants.

Ava aurait aimé voir des dauphins
mais il n'y en avait pas.

Relis ta phrase : il reste une faute
d'orthographe à corriger.

Noé regarde la photo
de la statue du pharaon
Amenophis III.

qu

qui

quoi

une équipe

une question

un requin

coquin

un masque

un bouquet

la barque

un casque

la queue

une claque

un briquet

un risque

un piquet

un moustique

un quiproquo

un pique-nique

l'as de pique

Il me manque

L'équipage de ce navire répare la coque.

Lou décalque une forme.

Laquelle est-ce ?
C'est un triangle.

Qui a vu des requins ?
Moi, répond Quentin, ils étaient quatre.

Un moustique a piqué Monique.
Pas de panique, la piqûre n'est pas grave.

La remorque est remplie de briques.

Maxime croque un quart de pomme.

gn

un pagne

maligne   un cygne   une araignée

la poignée   le chignon   la montagne

la cigogne   l'agneau   la signature

la baignoire   le champignon

Ava accompagne
Noé à la pêche
à la ligne.

Un rossignol chante.

Agnès gagne un mignon petit agneau.

Le vigneron soigne sa vigne.

Les coureurs sont sur la ligne
de départ. Au signal, ils s'élancent.

Le premier qui franchira la ligne
d'arrivée gagnera du champagne.

s =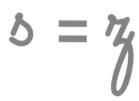

une fusée

la pelouse

la brise

la surprise

une bise

la télévision

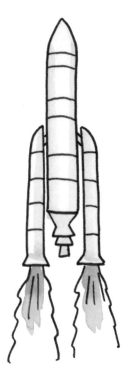

un trésor

mon cousin

le magasin

Noé dispose des roses dans un grand vase,
puis le pose sur la table
de la cuisine.

Ava a préparé une tarte :
il y a des framboises
et des fraises.

Ce n'est pas
la saison des cerises.

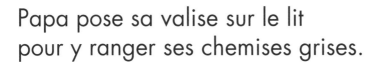

Papa pose sa valise sur le lit
pour y ranger ses chemises grises.

Noé attend la visite des ses cousins Isaac,
Lisa et Casimir.

oin

pointu

loin

du foin

le besoin

rejoindre

le coin

Regarde le groin du cochon :
il est tout sale.

Demande à ta maman la pointure
de tes chaussures : elles semblent moins
grandes que les miennes.

Noé s'est cogné le front sur le coin
de la table. Je lui ai donné des soins,
il a moins mal. Pour le consoler,
je lui donne une pâte de coing.

Joins les deux points.
Fais-le avec soin.

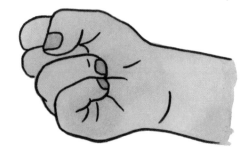

Ferme ton poing.

ç

ça

la façon

reçu

la balançoire

la leçon

l'hameçon

un maçon

français

le garçon

Ava n'a pas reçu son nouveau vélo.
Elle est déçue.

Les garçons font de la balançoire.

Le maçon refait la façade de la maison
tandis que le menuiser construit
un escalier en colimaçon.

Il fait chaud, voulez-vous des glaçons
dans votre boisson?

ill eil ouil ail euil

la grille une bille une coquille

pétiller sautiller le gorille

une myrtille le tilleul

l'abeille l'oreille l'orteil

 le fauteuil du chèvrefeuille

le feuillage la grenouille

de la paille le rail de la volaille

La chenille deviendra un papillon.

Ma fille s'appelle Camille.
Elle est gentille.
Elle s'habille,
elle met ses espadrilles.

J'ai une grande famille.

Ce matin, il y avait du brouillard,
puis le soleil est apparu.

Quelle merveilleuse journée ! Il ne pleuvra
pas, le jardin ne sera pas mouillé.

Tu es une canaille, tu m'as volé
mon portefeuille !

Ava a beaucoup travaillé. Fatiguée, elle bâille.

ez

venez	avalez
nez	coupez
ramez	plongez
jouez	assez

Ne criez pas, ne sifflez pas, calmez-vous!

J'en ai assez!

Sortez, ne m'attendez pas.

Voulez-vous manger?

Voulez-vous boire?

Vous devez être affamés et assoiffés.

Vous marchez, vous courez:
vous profitez du grand air.

Vos pâtes sont fades.
Salez-les, poivrez-les, elles auront
plus de goût.

tion

de la potion   l'aviation

une opération   la station

la solution   la fabrication

l'action   la manipulation

Fais attention !

Ava fait une collection de timbres.

Cette habitation a besoin de réparations,
il faut prendre des précautions.

Le chat m'ennuie avec ses réclamations,
je lui ai déjà donné sa portion de viande
et sa ration de lait.

J'ai fait beaucoup d'opérations :
des additions, des multiplications
mais je ne sais pas faire les soustractions.
Peux-tu me donner des explications ?

Noé cherche une occupation.
Je lui propose mon jeu
de construction.

Au revoir, Noé et Ava !

Loi n°49-956 du 16 juillet 1949 sur les publications destinées à la jeunesse,
modifiée par la loi n°2011-525 du 17 mai 2011.
© 2017 Éditions NATHAN, SEJER, 25 avenue Pierre de Coubertin, 75013 Paris
ISBN : 978-2-09-278848-6
N° d'éditeur : 10253612
Dépôt légal : juillet 2017
Achevé d'imprimer en Espagne par Macrolibros en février 2019